ぼくの町の妖怪

野泉マヤ／作
TAKA／絵

もくじ

第1話　夜泣《よな》き石《いし》……5
第2話　天狗《てんぐ》……33
第3話　ろくろ首……55
第4話　矢食《やく》らい山《やま》……85

第5話　目目連《もくもくれん》 …… 105

第6話　河童《かっぱ》 …… 123

装丁　野村義彦（LILAC）

河童《かっぱ》、天狗《てんぐ》、ろくろ首、
猫《ねこ》また、柿入道《かきにゅうどう》、小豆洗《あずきあら》い……。
妖怪《ようかい》って、
ぼくの町にも、いるのかな。

第1話　夜《よ》泣《な》き石《いし》

ぼくんちの近くに、空《あ》き家《や》がある。

かわら屋根で、昭和《しょうわ》に建《た》てられたような古い家だ。

ぼくが幼稚園《ようちえん》のころまでは、井上《いのうえ》さんというおじいさんがひとりで住んでいた。おじいさんはいつもにこにこしていて、ぼくをかわいがってくれた。遊びに行くと、「おれが子どものころはな」といって昔の話をしてくれた。

「高い木の上を見あげたら、天狗《てんぐ》が笑《わら》っていたんだ」とか、「川で泳いでいたら、河童《かっぱ》に足をつかまれた」なんて話。

ちょっとこわかったけど、おじいさんの話しぶりがおもしろくて、つい引きこまれていた。そんな話を、いっぱい聞かせてもらった。

小学校に入ったころ、おじいさんの姿《すがた》が見えなくなった。どうしたのかなと心配していたら、ある日ママに「井上《いのうえ》さんは亡《な》くなったのよ」といわれた。

そのとき、ぼくの体のどこかでひゅうっと風がふきぬけたような気がした。

そうして、おじいさんの家は空《あ》き家《や》になった。

最近《さいきん》そこに、若《わか》い男の人が引《ひ》っ越《こ》してきたらしい。

ママが聞いたうわさによると、その人は井上さんの孫《まご》で、なんと妖怪《ようかい》の研究《けんきゅう》をしているんだって。

妖怪の研究!?

本だなからとりだした『妖怪図鑑《ようかいずかん》』をパラパラとめくる。化《ば》け猫《ねこ》、天狗《てんぐ》、のっぺらぼう、大入道《おおにゅうどう》なんかがのっている。

妖怪の研究《けんきゅう》って、いったい何をするんだろう？

魚の研究をする人は、水そうに魚を飼《か》っているとか、植物の研究をする人は、庭に植物を育てていると聞くから、ひょっとして妖怪を飼ってる？

いやいや。まさか、そんなことはないよな。

でもとにかく、その人のことが気になって、ぼくは、井上《いのうえ》さんが住んでいた家へ行った。

「井上《いのうえ》」と表札《ひょうさつ》のある門をくぐる。

しばらくぶりだな。そのわりに、庭の木々はきれいに手入れをされていた。家のようすもほとんど変《か》わっていない。

ぼくは玄関《げんかん》の前に立ち、インターホンを鳴らした。

「こんにちは」

間もなく、ガラガラっと玄関の引き戸があいた。

この人が、井上さんの孫《まご》にちがいない。顔も体つきもぜんぜんちがうけど、何かが似《に》ているような気がする。

ひょろりとやせた体型《たいけい》で、おっとりした顔に眼鏡《めがね》をかけている。

まじめなお兄さんという感じだ。髪《かみ》の毛《け》が、耳の後ろでぴょこんとはねているけれど、気にしていないみたい。まじめお兄さんはねむたそうな目でおだやかにいった。

「こんにちは。どちらさまですか？」

ていねいな言葉づかいをされて、なんだか緊張《きんちょう》する。おじいさんは「おう、来たか」ってフレンドリーな感じだったのに。はじめましてだから、しかたないか。

「ぼ、ぼくは、柳邦彦《やなぎくにひこ》といいます」

「何か、ご用ですか？」

「えーと、近くに住んでいます」

あ、答えになってないと思ったけど、まじめお兄さんは気にせずほほ笑《え》んでくれた。

「ご近所さんですか。あいさつに来てくれたんですね。わざわざありがとうございます。わたしは、井上円《いのうえまどか》といいます。よろしくお願《ねが》いします」

「よろしくお願いします」

つられてぼくも、ペコっと頭をさげた。

「ぼく、ここにおじいさんが住んでいたときに、たまに遊びに来てたんです」

「そうですか。祖父《そふ》を知っているんですね」

「はい。ぼくが遊びに来ると、いつもおじいさんは昔の話をしてくれました。おれが子どものころはな、って」

ぼくがおじいさんの口まねをすると、井上円《いのうえまどか》さんは、いっきに顔をほころばせた。

「邦彦《くにひこ》くんもですか。わたしも、いっぱい聞かされましたよ。天狗《てんぐ》や河童《かっぱ》の話」

「おじいさん、子どものころに見たっていってたよね」

「そうですね。そんな祖父《そふ》の影響《えいきょう》で、今の仕事をするようになったのです」

井上円さんは、この春から森里町《もりさとまち》に近い大学で働《はたら》くことになり、それで空《あ》き家《や》になっている、この家に引《ひ》っ越《こ》してきたんだって。

おじいさんの思い出話をするうちに、この人が、年の離《はな》れたお兄さんのように思えてきた。ぼくは親しみをこめて、円《まどか》先生と呼《よ》ぶことにした。

「この家には、祖父《そふ》が集めた昔話もたくさんあるので、ここに住むことになって、ちょうどよかったんです。それにこの町は、妖怪《ようかい》の宝庫《ほうこ》ですから」

円先生がさりげなくいったことに、ぼくの耳はぴくっとした。ママが聞いたうわさは、本当なのかも。

ぼくは思いきってたずねた。

「円先生は、妖怪の研究《けんきゅう》をしているんですか？」

「はい、そうです。ずっと前から、この町の妖怪《ようかい》を調査《ちょうさ》してみたいと思っていたんです」

円《まどか》先生が細い目をキラリとさせた。

このとき、井上《いのうえ》のおじいさんと円先生の何が似《に》ているか、わかった気がした。

「邦彦《くにひこ》くんも、祖父《そふ》から天狗《てんぐ》や河童《かっぱ》の話を聞いて、妖怪に興味《きょうみ》を持ったでしょう？」

「あ、はい。天狗とか河童とか、ぼくも見てみたいなって思いました」

やはりね、という表情《ひょうじょう》で円先生は続《つづ》ける。

「じつは今から、妖怪の現地《げんち》調査に出かけるところです。邦彦くんもいっしょに行きませんか？」

　それって、妖怪《ようかい》が出る場所へ行って調べるということだよね。妖怪に会えたりするのかな。ちょっとこわいけど、見てみたいかも。本物の妖怪を。

　ぼくは円《まどか》先生を見あげてうなずいた。

「妖怪調査《ちょうさ》、行きます！」

　円先生とぼくは、双石寺《そうせきじ》へ向かって歩いた。その西側《にしがわ》にある小さな空《あ》き地《ち》に、妖怪が出るそうだ。

　双石寺へは、ご先祖《せんぞ》さまのお墓参《はかまい》りで行ったことがある。

でも、そのとなりの小さな空《あ》き地《ち》なんて見たこともないし、そこに妖怪《ようかい》が出るなんて、知らなかったな。

「現地《げんち》へ行くと、さまざまな情報《じょうほう》が得《え》られるので、妖怪を知るには現地調査《ちょうさ》にかぎります」

「今から行くところには、どんな妖怪がいるんですか？」

「それは、行ってからのお楽しみです」

よれよれのデイパックを背負《せお》った円《まどか》先生が、お茶目《ちゃめ》な感じで片目《かため》をつむる。

「じゃあ、この森里町《もりさとまち》には、どのくらいの妖怪がいるんですか？」

「そうですね、それをこれから調査するのですが、たぶん、うようよいるでしょう」

円《まど》先生はうれしそうにいったけど、ぼくは笑《わら》えずにかたまってしまった。うようよって……そんなにいっぱい、いるんだ。

急に妖怪《ようかい》にとりかこまれているような気がして、背中《せなか》がぞわぞわしてきた。

間もなく、目的《もくてき》の空《あ》き地《ち》に着いた。

すぐそばにお寺の塀《へい》があり、その向こうはお墓《はか》だ。

そこには、庭石みたいな灰色《はいいろ》の大きな石が、ポツンと一つだけある。ぼくと同じくらいの高さで、何か文字が書いてあるわけでもなく、なんでここに、こんなのがあるんだろう？　と思うような石だ。

円《まどか》先生が、その大きな石に手を置《お》いた。

「これが、妖怪《ようかい》です」

「こ、これが？」

ただの石にしか見えないけど。

円先生は、石のあちこちをなでたり、しゃがみこんで石のまわりの土をいじったりしはじめた。さらに、デイパックからタブレットパソコンをとりだし、石の画像《がぞう》を撮《と》りだした。

「どんな妖怪なんですか？」

「この石は、夜になると泣《な》くようです」

「石が、泣くの？」

「はい。〈夜泣《よな》き石《いし》〉と呼《よ》ばれています」
円《まどか》先生は、デイパックから『森里町《もりさとまち》の昔話』と書かれた古そうな本をとりだして読んでくれた。

〈夜泣き石〉

双石寺《そうせきじ》の西側《にしがわ》にある石から、夜中に泣き声が聞こえることがある。泣き声を聞いた人が翌朝《よくあさ》行ってみると、雨も降《ふ》っていないのに、石の下だけしっとりとぬれていた。

「ふうん。地面がぬれるくらい泣《な》くんだ。昼間は泣かないのかな」

耳をすましてみたけど、石から泣き声は聞こえない。石の表面をまじまじと見ても、目のようなものはないし、ぬれているようすもない。

そのときだ。

「邦彦《くにひこ》くん、何してるの？」

急に名前を呼《よ》ばれて、ギクッとした。

ふり向くと、長い髪《かみ》をツインテールにしているマミちゃんが、こっちに歩いてくる。

「石の観察《かんさつ》？」

ふしぎそうな顔で聞かれた。マミちゃんとは、席《せき》がとなりどうしだ。そういえば、お寺の近くに住んでいるといってたっけ。

「観察《かんさつ》じゃなくて、調査《ちょうさ》なんだ。あのね、この石、夜になると泣《な》きだす妖怪《ようかい》なんだって。朝になると、石の下がぬれてるんだって」

ぼくは、ちょっとおどかすような口ぶりでいった。

でもマミちゃんは、あっけらかんとしている。こわがるどころか、ぼくに、小さい子どもを見るような目を向けた。

「その話、おばあちゃんから聞いたことがある。夜泣《よな》き石《いし》っていうんでしょ。まさか邦彦《くにひこ》くん、そんな昔話を本気にしてるの？」

ぼくは、あわてて円《まどか》先生にすがる。

「でも、だって、円《まどか》先生が、これは妖怪《ようかい》だっていうから……。夜になると、泣《な》くんですよね？　ねぇ、先生」

円先生は、あごに手を当てて考えこんだ。

「そのように伝《つた》えられていますが、本当に泣くかどうかは、夜に調《ちょう》査《さ》をしないとわかりませんね。それを確《たし》かめるなら、邦彦《くにひこ》くん、今夜もう一度、来てみましょうか？」

「え？　すぐとなりはお墓《はか》なのに。夜に、また来るの？」

ぼくがとまどっていると、マミちゃんがにやりとした。

「そうだね、夜に来ればわかるよね。わたしも確かめてみたいけど、今日は塾《じゅく》があるから、来られないなあ。邦彦くん、今夜の調査結果《けっか》は、明日、学校で教えて。じゃあね、バイバイ」

マミちゃんは明るく手をふり、帰っていく。

そんなわけで、ぼくは今夜もう一度来ることになってしまった。


その夜、円《まどか》先生は、古めかしい提灯《ちょうちん》を持って現《あらわ》れた。

「おしいれの中から見つけたんです。懐中電灯《かいちゅうでんとう》よりも、風情《ふぜい》があるでしょう」

やめてよ、そんなの。フゼイというより、ブキミだよ。円先生って、どういうセンスをしてるんだろう。

『妖怪図鑑《ようかいずかん》』に提灯お化《ば》けという妖怪が出てたな。ボロボロになった提灯《ちょうちん》に目がついていて、ぱっくりと割《わ》れたところから赤いベロをだしているやつ。

円《まどか》先生の提灯、だいじょうぶかな。とつぜん目が現《あらわ》れて、赤いベロが出てきたりしないかな。それに、こうして提灯をぶらぶらさせて歩いていたら、この町にうようよいるという妖怪《ようかい》たちが、集まってくるかもしれないし……。

そんなことを考えてしまい、びくびくしながら歩いた。

夜泣《よな》き石《いし》の近くには、外灯《がいとう》があった。真っ暗な場所ではないけれど、塀《へい》の向こうはお墓《はか》だし、みょうに静《しず》かで、落ち着かない。

石は、提灯のあかりで不気味《ぶきみ》に照《て》らしだされている。とつぜん目が現《あらわ》れて、ギャーギャー泣《な》きだしたりするのかな？

ぼくは、円《まどか》先生にぴたりとくっつき、息をひそめて石をのぞく。

「泣いているようすは見えませんね。泣き声も、わたしには聞こえませんが。邦彦《くにひこ》くんは、何か聞こえますか？」

「ぼくにも、聞こえません」

なんだかドキドキしてきた。泣き声が聞こえたらいやだなと思うのに、なぜか耳をすましてしまう。

そのとき、円《まどか》先生が冷静《れいせい》な声で話しだした。

「昼間の調査《ちょうさ》でわかったのは、この場所が、水のたまりやすい場所ということです。ここは、まわりの土地よりも低く、お寺の塀《へい》によって日かげになりがちですから。それで、この石の下に水がたまっていたのを見た人が、石が泣《な》いた涙《なみだ》だろうと想像《そうぞう》したのでしょうね」

そういえば昼間、円先生は、石の下の土までていねいに調べていたっけ。

そうか、想像したのか。じゃあ、この石が泣くというのは、マミちゃんがいったように、ただの昔話なんだ。

「でも、円先生。水がたまっているからって、なんで石の涙だって思ったのかな？」

するとと、円《まどか》先生は事件《じけん》のなぞを解《と》く名探偵《めいたんてい》のような口調《くちょう》で答えた。

「邦彦《くにひこ》くん、それはよい着眼点《ちゃくがんてん》です。なぜ昔の人は、石が泣《な》いたと語ったのか。じつは昼間の調査《ちょうさ》のあと、この石についてほかの資料《しりょう》も見てみました。もともとここには、夫婦石《めおといし》と呼《よ》ばれる二つの石があったそうです。それがあるとき、一つは別《べつ》の場所へうつされてしまった。そこで人々は、石の夫婦《ふうふ》が離《はな》れ離《ばな》れになったことと、石の下に水がたまっていたことを結《むす》びつけ、さびしがって泣いたのだと想像《そうぞう》したのではないでしょうか？」

なーるほど。石だけど、仲《なか》のいいカップルだったんだ。その仲よしの石たちが離《はな》れ離《ばな》れにされたら、さびしいよね。

おーい、おまえはどこにいるんだ？　会いたいよ。えーん、えーん、って泣《な》きたくもなるよ。昔の人は、石のことだけど、人間みたいに気《き》の毒《どく》に思ったってことなんだね。

不気味《ぶきみ》に見えていた提灯《ちょうちん》のあかりが、やさしい色に思えてきた。

「だったらこの石は、泣かないってことだよね。妖怪《ようかい》ではないんだよね？」

ぼくが力強くいうと、円《まどか》先生はおだやかに口をひらいた。

「この石は、妖怪ですよ。妖怪というのは、わたしたち人間が、ふしぎだなとか妖《あや》しいなと思うモノや現象《げんしょう》のことなんです。だから昔の人たちが、夜に泣《な》くと言い伝《つた》えたこの石は、立派《りっぱ》な妖怪《ようかい》です。わたしは、そういうふしぎで妖《あや》しい昔話について研究《けんきゅう》しているんです」

なーんだ。妖怪の研究って、そういうことか。

ぼくは、フッと鼻から息をはく。

そのとき、とつぜん耳元で声がした。

「こんばんは」

ふり向くと、白髪《しらが》のおばあさんが立っていた。あれ？　いつの間に来たんだろう。こんな時間に、たったひとりでどうしたのかな。

おばあさんは、か細い声でこういった。

「わたし、以前《いぜん》はこの辺《へん》に住んでいたのよ。当時とくらべると、町のようすもだいぶ変《か》わってしまったわ。でもこの石だけは、変わらないのね」

すごくなつかしそうに、夜《よ》泣《な》き石《いし》をなでている。昔の思い出にひたっているみたい。

提灯《ちょうちん》のぼんやりしたあかりが、おばあさんの顔を照《て》らす。とじたまぶたの下に、うっすらと涙《なみだ》がにじんでいた。

間もなく、おばあさんは「じゃあね。おやすみなさい」といって石から離《はな》れた。

円《まどか》先生が「おやすみなさい。お気をつけて」と返す。

ぼくは、おばあさんの後ろ姿《すがた》を、ぼうっとながめていた。おばあさんの「おやすみなさい」は、円《まどか》先生というより、石にあいさつしたみたいだったなと思いながら。

するとおばあさんが、ふと立ち止まった。

なごりおしそうに、こっちをふり返る。

そのとき、ぼくは見てしまった！

外灯《がいとう》に照《て》らされたおばあさんの顔を。

「うぎゃっ」

ぼくは円先生の腕《うで》に、がしっとしがみつく。

「お、おばあさんの、か、顔が……」

白い髪《かみ》の下のおばあさんの顔は、灰色《はいいろ》のざらざらした——。

「い、石だよ。石！」

「顔が、石ですか？」

ぼくは円《まどか》先生を、むりやり外灯《がいとう》の方へ向かせた。

でも、もうそのときは、おばあさんの姿《すがた》は消えていた。

第2話　天《てん》狗《ぐ》

「ここが、天狗《てんぐ》が出たといわれる九転橋《きゅうてんばし》ですね」

いつもはねむたそうな先生の目が、かがやいている。

円《まどか》先生が、今日も妖怪《ようかい》の調査《ちょうさ》をするというので、ぼくもいっしょについてきた。

この前の夜泣《よな》き石《いし》の調査では、びっくりしたな。出会ったおばあさんの顔が、いつの間にか石になっていたんだ。でも、円先生は気づかなかったというから、ぼくの見まちがいだったのかもしれない。

そんな妖怪調査は、ちょっとこわかったけど、おもしろかった。

今日も何かが起こるんじゃないかと、わくわくする。

円先生は、橋の手前で立ち止まると、よれよれのデイパックからとりだしたタブレットで、橋の画像《がぞう》を撮《と》りはじめた。

　ぼくも、まわりのようすをながめてみる。

　九転橋《きゅうてんばし》は、森里町《もりさとまち》と、となり町の間にかかる大きな橋で、車やバスやトラックが、いそがしそうに行き来する。そんな車道の両側《りょうがわ》には、歩行者専用《せんよう》の道もある。

「井上《いのうえ》のおじいさんが、笑《わら》っている天狗《てんぐ》を見たといってたのは、この橋でのことだったんだね」

　いつもは車やバスに乗って、あっという間に通過《つうか》するから、こんなにじっくりと橋をながめたのは、はじめてだ。

「邦彦《くにひこ》くんは、天狗がどんな妖怪《ようかい》か、知っていますか？」

「うん。鼻がぐうんと高くて、まゆ毛が濃《こ》くて、風を起こすうちわを持っていて、着物みたいな服っていうか、スカートかズボンかわからないようなのをはいていて……」

「あれは山伏《やまぶし》の服装《ふくそう》ですよ。天狗《てんぐ》はよく、山伏のようなイメージで描《えが》かれます。山伏というのは、山で修行《しゅぎょう》をする人々のことで天狗ではありません。もちろん、風を起こすうちわも持っていません。でも山伏は、修行によって大いなる力を身につけることから、神通力《じんつうりき》を持つ天狗と重ねられたのでしょう」

「あれって修行するときのかっこうなんだ。あと、天狗はヘンテコな下駄《げた》をはいているよね」

「一本歯の下駄《げた》のことですね」
「イッポンバ？」
「はい。下駄の下の部分を歯といいます。ふつうの下駄の歯は二本ですが、一本の歯の下駄もあるのです」
一本の歯と聞いて、から傘《かさ》お化《ば》けを思いだした。茶色い昔の傘から一本の足がのびていて、ピョンピョンとびはねるやつ。腕《うで》は二本なのに、なんで足は一本なんだろうな。たしか、あいつも下駄《げた》をはいていた気がする。一本歯だったかな？

「歯が一本だけって、ぐらぐらしない？　歩きづらくないのかな」

「かなり歩きづらいですよ。わたしも、はいてみたことがあるんです。すぐに転んでしまいました」

「やっぱり、そうでしょ」

ぼくには絶対《ぜったい》ムリ。

「ただあの下駄は、トレーニングにも使えるようです。体のバランス感覚《かんかく》をきたえるために、あの下駄をはいて訓練《くんれん》するアスリートがいるそうですよ」

そのとき、ランニングをする男の人が、ぼくたちの前を通りすぎた。もちろんこの人は、一本歯の下駄《げた》ではなく、運動ぐつをはいている。タッタッタッと軽やかに、歩行者専用《せんよう》の道を、橋の向こう側《がわ》へと走っていく。

そんな男の人のあとを追うように、ぼくたちも歩きだした。

この橋を歩いて渡《わた》るのは、はじめてだ。よく通る橋なのに、車やバスに乗って渡るのとは、ぜんぜんちがうなあ。

ぼくは歩きながら、たずねた。

「ここに出る天狗《てんぐ》はどこから来るの？　空から飛《と》んでくるのかな」

天狗は空を飛べると、『妖怪図鑑《ようかいずかん》』に書いてあった。

ぼくは、ゆっくりと雲の流れる空を見あげる。少し、風が出てきたみたい。
「天狗《てんぐ》がどこから来るのかというと、この本によれば……」
円《まどか》先生は立ち止まり、『森里町《もりさとまち》の昔話』をデイパックからとりだした。夜泣《よな》き石《いし》を調査《ちょうさ》するときも持っていた古そうな本。この本は調査の手がかりになるんだって。

〈九転橋《きゅうてんばし》の天狗〉

橋を渡《わた》ろうとすると、天狗が現《あらわ》れ、「ここを通りたければ、おれと相撲《すもう》をとれ」という。

あるとき、力じまんの男が、橋の上で天狗と九回相撲をとったが、

九回ともやすやすと転がされた。

その後、この橋は九転橋《きゅうてんばし》と呼《よ》ばれるようになった。

「ということで、どこから来るかは書かれていませんね」

円《まどか》先生が苦笑《にがわら》いする。

「でもきっと、空からだよね。それにしても、天狗《てんぐ》って、力が強いんだね」

ぼくは、力じまんの男と天狗が組み合う姿《すがた》を想像《そうぞう》する。

「そうですね。天狗の昔話は全国のあちこちにあり、内容《ないよう》もさまざまです。おそろしい魔物《まもの》だったり、ぎゃくに人々を助けたヒーローだったり。いずれにも共通《きょうつう》しているのは、怪力《かいりき》で運動能力《のうりょく》ばつぐんのスーパーアスリートのようなイメージでしょうか。不安定な一本歯の下駄《げた》をはいているのも、それだけきたえているということの証《しょう》明《めい》かもしれません」

ぼくは、そこで足を止めた。

これ以上《いじょう》、橋を渡《わた》らない方がいいんじゃないかな。

だって、そんな怪力の天狗《てんぐ》が現《あらわ》れて「ここを通りたければ、おれと相撲《すもう》をとれ」といわれたらどうしよう。ぼくなんて、かんたんに投げられちゃうよ。九回どころか、二十回くらい転ばされるかも。

そしたら九転橋《きゅうてんばし》じゃなくて二十転橋《にじってんばし》になっちゃうじゃないか。

「邦彦《くにひこ》くん、どうしましたか？　向こう岸まで渡《わた》ってみませんか？」

「で、でも、円《まど》先生。もしも現《あらわ》れたら……」

すると円先生は、フッと笑顔《えがお》を見せた。

「ああ、邦彦《くにひこ》くんは相撲《すもう》をとらされるのが心配なんですね。では、橋の真ん中あたりまで行きましょう。それくらいなら、天狗《てんぐ》も大目に見てくれますよ」

「ほんと？　だいじょうぶ？」

「だいじょうぶです。わたしがついてますから」

円先生が胸《むね》をはる。

ほんとに、だいじょうぶかな。こんなひょろっとした円先生が、スーパーアスリート妖怪《ようかい》にかなうとは思えないんだけどな。

でも先生が、さっさと歩きだしたので、ぼくもしぶしぶついていく。

風が、だんだん強くなってきた。

橋の真ん中あたりまで行くと、円《まどか》先生は、まわりの景色《けしき》を写真に撮《と》りはじめた。

「邦彦《くにひこ》くん、橋の北と南をくらべて、どう思いますか？」

北側《きたがわ》は森里町《もりさとまち》で、南側はとなり町だ。

「ようすがちがうね。北の方は建物《たてもの》や家がいっぱいあるけど、南の方は田んぼや畑が多いよ。こうして見ると、ちがう世界の間にいるって感じがする」

　先生がにっこりとした。

「邦彦《くにひこ》くん、よいところに気づきました。ここはまさに、ちがう世界の間です。そこが、ポイントなんです」

「ポイントって、なんの？」

　ぼくは首をかしげる。

「昔、まだ橋がかけられていないころ、人々は川を渡《わた》るとき、渡《わた》し舟《ぶね》を使っていました。舟《ふね》は乗《の》り降《お》りに時間もかかるし、大雨のときは使えないし、川を渡るというのは大変《たいへん》なことでした」

「ふうん。橋がないと、気軽にとなり町まで行くってわけにはいかないね」

「そうです。昔、川の向こう側《がわ》はめったに行けない場所でした。つまり、自分たちが毎日生活する場所とはちがう世界だったのです。そのちがう世界との間を境界《きょうかい》といいます。境界では、何かふしぎなことが起こってもおかしくないと、昔の人は思いました。ですから境界は、妖怪《ようかい》が現《あらわ》れやすいポイントなのです」

そのとき、強い風がビュワーッとふきぬけた。

とっさに空を見あげる。天狗《てんぐ》が現れ、うちわで風を起こしたんじゃないかと思って。

でも青い空には雲が流れているだけで、天狗の姿《すがた》は見えない。

円《まどか》先生は、遠くの山々に顔を向けていた。風は、そっちの方からふいてくる。

「橋の上は、やはり風が強いですね。川は風の通り道ですから。あの山脈《さんみゃく》からふきおろす風が、この川すじに集中するのかもしれません」

そういっている間にも、また強い風がふきぬけた。

「これは、わたしの想像《そうぞう》ですが」

円先生は橋の手すりによりかかって、ぼくを見た。そして、こんな想像の話をしてくれた。

昔、この川に、橋がかけられたばかりのころ。人々は、歩いて橋を渡《わた》っていた。

あるとき、力じまんの男が橋の上を歩いていたら、急に強い風がふき、あおられて転んでしまった。

それを見た人が、男をからかったので、プライドを傷《きず》つけられた男は、じょうだん半分に答えた。

「おれが転んだのは、天狗《てんぐ》に相撲《すもう》をとれといわれて、投げられたせいだ。天狗にはかなわん。あんたも橋を渡るときは、天狗に気をつけろよ」

この話が、伝言《でんごん》ゲームのように形を変《か》えて広まり、やがて『九転《きゅうてん》橋《ばし》の天狗』の昔話になった。

「というわけで、この橋に天狗《てんぐ》が出るといわれるようになった原因《げんいん》は、強い風がふくこと、ふしぎが起こりそうな境界《きょうかい》であること、ではないかと思います。もともと、とつぜんの雨や風は、天狗のしわざといわれていましたから」

つまり、九転橋《きゅうてんばし》の天狗の正体は、強い風と境界だということか。

境界は、ふしぎなことが起こりやすいといわれる場所。

ぼくは今、そんな境界にいる。森里町《もりさとまち》ととなり町との境目《さかいめ》だ。

橋のたもとの木が、風でゆさゆさとゆれている。そういえば、井《い》の上《うえ》のおじいさんは、天狗が木から飛《と》びおりたといってたっけ。

そのとき、だれかが走ってくるような足音が聞こえた。

カッカッカッカッ。

また、ランニングの人が来たのかな。

でも、おかしい。運動ぐつが、こんな音するか？　と思っておそるおそる音の方をふり返ると……。

「て、天狗《てんぐ》!?」

山伏《やまぶし》みたいなかっこうの、鼻がぐんと高くてにらむような目をした男が一本歯の下駄《げた》をカッカッカッと鳴らしながら、勢《いきお》いよくこっちに向かってくる！

「うわぁ！」

男がかけぬけた瞬間《しゅんかん》、ぼくの体は真上にポーンと投げられた。
う、うそでしょ？
ぼくは今、橋を上から見ている。
橋を渡《わた》るバスや車の屋根、パトカーの赤色灯《せきしょくとう》が見える。
キラキラした川の水が、橋の下を流れていくのも見える。
ぼくの体が、空に浮《う》いているってこと？
じゃあ、このまま落ちたら、どうなるの？
「うぎゃあっ！」
両目をギュッとつむる。
助けてーーーーっ！

「邦彦《くにひこ》くん、だいじょうぶですか？」

目をあけると、ぼくをのぞきこむ円《まどか》先生の顔があった。

ぼくは、橋の上でしりもちをついていた。

「今の風は強かったですね。けがをしてませんか？」

円先生がぼくを起こしてくれた。ぼくが風であおられて、転んだと思っているみたい。

ぼくは起きあがりながら、真剣《しんけん》にうったえた。

「ちがうよ。今のは風じゃなくて、天狗《てんぐ》だよ。さっき、一本歯の下《げ》駄《た》をはいて走ってきた人がいたでしょ。あれは天狗だよ！」

「天狗《てんぐ》？」

円《まど》先生《か》があたりを見まわしたとき、その姿《すがた》は、もう消えていた。

「天狗だったかもしれませんね。なにしろ、ここは境界《きょうかい》ですから」

先生はぼくを見て、おだやかにほほ笑《え》んだ。

また、強い風がふきだした。

その風の中から「ハッハッハァッ」とごうかいな笑《わら》い声《ごえ》が聞こえた、気がした。

第3話　ろくろ首

今日の調査《ちょうさ》は、マミちゃんもいっしょだ。

夜泣《よな》き石《いし》のことを教えてといわれていたので、あの夜に現《あらわ》れたおばあさんの顔が、石になったことを話した。「きっと、あのおばあさんは、妖怪《ようかい》だったんだ」って。

でも、ぜんぜん信用《しんよう》してくれないんだ。

「邦彦《くにひこ》くんの見まちがいでしょ」

と、笑《わら》われてしまった。

マミちゃんは、妖怪なんて信《しん》じてないし、興味《きょうみ》もないみたい。

それなのに、今日の調査のことを話したら、

「わたしも行く」

と、ついてきたのだ。ヘンなの。

「工藤《くどう》マミです。よろしくお願《ねが》いします」

マミちゃんは背《せ》すじをすっとのばし、礼儀《れいぎ》正しくあいさつをした。

「わたしは井上円《いのうえまどか》といいます。こちらこそよろしくお願いします」

調査《ちょうさ》の仲間《なかま》が増《ふ》えたせいか、円先生はにこにこしている。

「円先生は、大学で民俗学《みんぞくがく》を教えているんですよね？　邦彦《くにひこ》くんから聞きました。民俗学って、どんな勉強なんですか？」

「民俗学というのは、その土地の歴史《れきし》や、昔からの文化や習慣《しゅうかん》などを勉強します。昔話やお祭りなどの研究《けんきゅう》を通して、昔の姿《すがた》を探《さぐ》るのです」

「ふうん。歴史《れきし》か。じゃあ円《まどか》先生は、好《す》きな食べ物はなんですか？」

「そうですね。おまんじゅうとか、どら焼《や》きとか、あんこのおかしが好きです」

「あたしも、あんこのおかしが好きです！」

そうか。さては、妖怪《ようかい》じゃなくて、円先生に興味《きょうみ》があるんだな。さっきから、先生に質問《しつもん》ばかりしている。

今回の調査地《ちょうさち》は、城見坂《しろみざか》だ。

ここは小さな山のふもとで、町の中心からはだいぶ離《はな》れている。昔は、この坂をくねくねとのぼって山越《やまご》えをしたそうだ。まっすぐで便利《べんり》な新しい道ができてからは、あまり使われなくなったらしい。

「城見坂《しろみざか》って名前は聞いたことあるけど、ここに来たのははじめて」

そういうマミちゃんと同じく、ぼくもはじめてだ。

坂道は、うっそうとした杉林《すぎばやし》にかこまれている。まだ午後三時だというのに、夕方みたいにうす暗く、ぼくたちのほかには、だれもいない。

「円《まどか》先生、ここには、どんな妖怪《ようかい》が出るんですか？」

マミちゃんがたずねた。

「ここに出るといわれているのは、ろくろ首です」

「ひいっ」

思わずヘンな声をだしてしまった。

そんなぼくを、マミちゃんがじろりと見る。

「邦彦《くにひこ》くん、ろくろ首がこわいの？」

「ち、ちがうよ。こわいんじゃなくて、その、ぼくは、ヘビとかミミズとか、にゅるるるうっとしたやつが苦手《にがて》なんだ」

『妖怪図鑑《ようかいずかん》』に出ていた、にゅるにゅるのびる首を思いだし、身ぶるいした。やだな。今日の調査《ちょうさ》がろくろ首だとわかっていたら、パスしたのにな。

「ろくろ首なんて、いるわけないんだから。こわがることないのに」

自信《じしん》たっぷりなマミちゃんに、円《まどか》先生が目を細めてほほ笑《え》む。

「マミさんは、そう思うのですね？」

「はい。わたしは、妖怪《ようかい》なんて信《しん》じていません。あれは、人間が考えだしたものです。そうでしょ？」

「そうですね。昔の人たちは、じつにさまざまな妖怪をつくりだしてきました。妖怪がどのように生まれたかを調べるのも、民俗学《みんぞくがく》の研究《けんきゅう》の一つです。たとえば、ろくろ首は、中国《ちゅうごく》の飛頭蛮《ひとうばん》が、もとになったといわれています」

「ヒトーバン？」

マミちゃんとぼくの声が、重なった。

「飛頭蛮は、頭を飛《と》ばす未開《みかい》の種族《しゅぞく》という意味です。中国の古い書物によれば、昼間はふつうの人間で、夜になると頭だけ体から離《はな》れて飛《と》びまわる種族《しゅぞく》がいて、飛頭蛮《ひとうばん》と呼《よ》ばれたそうです」

「うわぁ！」

暗やみの中を、人間の生《なま》首《くび》がヒュンヒュン飛びまわるようすを思い浮《う》かべてしまった。

「ま、円《まどか》先生。その飛頭蛮は、日本にもいたの？」

「いいえ。中国《ちゅうごく》の話です。それが日本に広まるうち

に、ろくろ首の話になったと思われます」

マミちゃんはあきれている。

「邦彦《くにひこ》くん、中国《ちゅうごく》の昔話までこわがる必要《ひつよう》はないと思うけど」

ぼくは気づかれないように、フッと息をついた。

中国は海の向こうだ。さすがに飛頭蛮《ひとうばん》の生首《なまくび》が、こっちまで飛《と》んでくることはないだろう。それなら、飛頭蛮に会う心配はなさそうだ。

だけど、問題のろくろ首は……と思っていると、またマミちゃんに先を越《こ》された。

「森里町《もりさとまち》に伝《つた》わるろくろ首は、どんな話なんですか？」

「ああ、それはですね」

円《まど》先生《か》は、よれよれのデイパックから、例の『森里町《もりさとまち》の昔話』をとりだした。

〈城見坂《しろみざか》のろくろ首〉

夕ぐれどき、ある男が城見坂をのぼっていると、前方に若《わか》い女の姿《すがた》が見えたので「おーい」と呼《よ》びかけた。

女は「何かご用ですか?」といってふり返ったが、同時に、その首がするするとのび、男の目の前までやってきた。

男はびっくりして腰《こし》をぬかし、その後、寝《ね》こんでしまった。

円先生《まどか》が読み終えると、マミちゃんがさらりといった。

「その男の人は、ろくろ首を見て病気になったということですね？」

なんだって！　ろくろ首は、見た人を病気にさせるのか。ひどい妖怪《ようかい》だ。やっぱり来るんじゃなかった。

それに、今日の調査《ちょうさ》は、なんかちがう。すっかりマミちゃんのペースに持っていかれて、ぼくはオマケみたいだ。もともとは円先生とぼくがはじめた調査なのにな。

「では、暗くならないうちに坂をのぼってみましょう」

円先生がデイパックを背負《せお》い直して歩きだす。マミちゃんとぼくも、ついていく。

三人で話しているうちに、いつの間にか時間がたっていた。もうすぐ太陽が、西の山にかくれそうだ。

坂道をのぼりだすと、いっそう暗くなった。杉林《すぎばやし》は、光があまり入ってこない。さびしい感じのする道だ。

「坂というのも、妖怪《ようかい》が出やすい場所なんです」

とうとつに円先生がいいだした。

「この坂に出るのはろくろ首ですが、化《ば》けギツネや大入道《おおにゅうどう》が出る坂もありますよ」

「化けギツネの方がよかったのにな」

ふたりには聞こえないくらいに、つぶやく。

いっぽうマミちゃんは、あいかわらず積極的《せっきょくてき》だ。

「坂は、どうして妖怪《ようかい》が出やすいんですか？」

「それはですね。坂というのは、上にある世界と下にある世界の間にあります。そのように別《べつ》の世界の間にある場所は――」

円《まど》先生がそういいかけたところで、口をはさんだ。

「境界《きょうかい》って、いうんだよね」

「はい。その通りです」

「境界は、妖怪が出やすいポイントなんだよ」

ハテナの目をしているマミちゃんから、一本とれた気がした。

円《まどか》先生は、たんたんとした口ぶりで続《つづ》ける。

「また、坂というのは、あの世へつながるという黄泉比良坂《よもつひらさか》を連想《れんそう》させます」

ぼくは肩《かた》を丸めて、おそるおそるたずねた。

「円先生、あの世って、死んだ人が行くところだよね。その、よもつナントカ坂は、どこにあるの？」

「さあ、どこにあるのでしょう？　この世とあの世との境界《きょうかい》にある坂ですから、地図にのっているようなものではなく、とつぜんどこかに現《あらわ》れるのかもしれません」

そのときだ。

ガサガサッ。

しんとしていた杉林《すぎばやし》から、いきなり物音がした。

ギクッとして足がかたまる。

目の前を、黒いものが飛《と》び去った。

アアーッ、アアーッ。

「なんだ。カラスじゃない」

さっきまでぼくをバカにしていたマミちゃんが、胸《むね》に手を当てている。かなりびっくりしたみたいだ。

その後、ぼくたちは足早に坂をのぼった。

城見坂《しろみざか》の一番高いところまでのぼると、杉林《すぎばやし》の間から向こう側《がわ》の山が見えた。

「ああ、やはりここから、見えるのですね」

円《まどか》先生が、予想《よそう》通りというように、その景色《けしき》を画像《がぞう》に撮《と》る。

「何が見えるの？　ぼくには山しか見えないよ」

「向こうの山には、かつて森里城《もりさとじょう》がありました。戦国時代《せんごくじだい》の山城《やまじろ》です。今は、城の建物《たてもの》は残《のこ》っていませんが、昔は、ここから城をながめることができたと思います」

「だから、城見坂というんだね」

マミちゃんがいった。

「そうです。この道は、森里《もりさと》城《じょう》に続《つづ》いています」
戦国時代《せんごくじだい》といえば、鎧《よろい》や兜《かぶと》をつけた武士《ぶし》たちが戦《たたか》ったり、城《しろ》を攻《せ》めたりしたんだよね。このあたりでも、戦《いくさ》で人が死んだりしたのかな。
円《まどか》先生が、しんみりとした声になる。
「森里城は悲劇《ひげき》の城です。敵《てき》

に攻《せ》め落とされたとき、城主《じょうしゅ》や家臣《かしん》のほか、奥方《おくがた》や姫君《ひめぎみ》までもが首を切られました。城下《じょうか》を流れる川が、その血で真っ赤にそまったと伝《つた》えられています」

円《まどか》先生は、お城《しろ》があったという方へ向かって静《しず》かに手を合わせた。

「お姫さまも殺《ころ》されちゃったなんて、かわいそう」

マミちゃんも、うつむいて手を合わせる。

昔、この町でそんなことがあったんだ。こわいというより切《せつ》ないな。ぼくも、お城に向かって手を合わせた。

「さて、そろそろ下へおりましょうか。暗くなってきましたね」

円先生のいうように、うっそうとした杉林《すぎばやし》が、さらに暗くなっていた。ぼくたちは、のぼってきた坂道をもどりはじめる。

歩きながら、円《まどか》先生が冷静《れいせい》にいった。

「城見坂《しろみざか》に出るろくろ首というのは、森里城《もりさとじょう》の悲劇《ひげき》と、ここが城《しろ》へ続《つづ》く道であることから生まれたのかもしれませんね」

「そうか。お姫《ひめ》さまの首も切られたという話が伝《つた》わっていくうちに女の人のろくろ首が出るという話に変化《へんか》したということか。それなら、ここにろくろ首はいないね」

話の出どころがわかって、ホッとする。

するとマミちゃんが、なぜか反発してきた。

「そう？　ろくろ首、いるかもよ」

「なんだよ？　さっきマミちゃんは、ろくろ首なんているわけないって、いってたじゃないか」

「でもなんとなく、ここのふんいきがそれっぽいというか、ろくろ首が出てもおかしくない気がしてきたの」

いわれてみれば、杉《すぎ》の木の間から、今にもろくろ首が……。

だめ、だめ！　ぼくは、頭をぶんぶんとふる。

そして、マミちゃんをにらんだ。

「さっきマミちゃんは、妖怪《ようかい》なんて信《しん》じないいって、あれは人間が考えだしたものだって、いわなかった？」

「いったけど、それとこれとは別《べつ》だよ」

「へ？　どういうこと？　ろくろ首を信《しん》じてないのに出てもおかしくないなんて、意味わかんない」

ぼくは口をとがらせる。

マミちゃんは、そんなぼくに疑《うたが》うような目を向けた。

「邦彦《くにひこ》くんは、ろくろ首がこわいんでしょ」

「ちがうよ。円《まどか》先生がいっただろ。ろくろ首は、ここが境界《きょうかい》だってことと、城《しろ》の悲劇《ひげき》から生まれた話なんだ。だから、ここにはろくろ首はいないんだよ。いなきゃこわがれないよ」

「何それ？　邦彦くんの方が、意味わかんない。こわいから、ろくろ首がいることを認《みと》めたくないだけじゃないの？」

円《まど》先生《か》が、ぼくたちを見て笑《わら》っている。

「邦彦《くにひこ》くんとマミさんの立場、さっきと逆転《ぎゃくてん》してますね」

そのときだ。


チリン、チリン、チリン。


坂の下から、鈴《すず》の音が聞こえて、ドキリとした。

見ると、ひとりの若《わか》い女の人がいた。

和服姿《すがた》で髪《かみ》は長く、背《せ》すじをのばして、しずしずと歩いてくる。

まるで、昔のお姫《ひめ》さまのように。

こんなところに和服姿《すがた》で来るなんて。しかも夕方に。

まさか、城見坂《しろみざか》の？

ぼくは息を止めたまま、円《まどか》先生の方へ近づき、ピタリとよりそった。マミちゃんも顔を引きつらせ、ぼくたちの方へよってくる。

ぼくたち三人は、だんごみたいにかたまった。すると、先生がほほ笑《え》みながら、つぶやいた。

「見事なコスプレですね。坂の上で夕焼《ゆうや》けをバックに撮影《さつえい》するのでしょう。いい絵になりそうですね」

コスプレって、アニメやゲームの登場人物みたいなかっこうをすることだよね。そうか。この人は、そういう登場人物になりきって、景色《けしき》のいいところで写真を撮《と》るつもりなんだ。それなら、ろくろ首ではないな。

ぼくはフッと息をつく。

だけど、つい女の人の顔や首のあたりを見てしまう。

上品なお姫《ひめ》さまのように、うつむいてふし目がちにしている。そのせいで、表情《ひょうじょう》はわからないけど、真っ赤なくちびるだけは見える。

きっときれいな人なんだろうな。

チリリン、チリリン。

鈴《すず》は、髪飾《かみかざ》りについている。

円《まどか》先生が、すれちがったとき

に声をかけた。

「こんばんは」

でも返事はない。顔をふせた

まま、同じペースで坂をのぼっ

ていく。

チリリン、チリン、チリン。

女の人が少し離《はな》れてから、マミちゃんがぼくに耳打ちした。

「あの人、きっとろくろ首だよ」

「ちがうよ。和服のコスプレだよ」

「ううん。動画で見たのと、ちがう感じだもん。コスプレだったら、もっと派手《はで》な色の和服で、あんな本格的《ほんかくてき》じゃないよ。それに、こんな時間に、ひとりだけで来るなんておかしいでしょ」

「そうかな。ひとりでも写真は撮《と》れるし、この夕方の時間をわざとねらったんじゃないの？」

「こんなにうす暗いのに、どうやって写真撮るのよ？　ろくろ首に決まってる」

「そんなことないよ。首の長さはふつうだったよ」

「いつもはふつうで、いざというときにのびるんだよ。ほら、昔話では、後ろから『おーい』って呼《よ》びかけたら、首がのびたんでしょ」

「でも、さっき円《まどか》先生が『こんばんは』といったときには、なんともなかったよ。あの人は、ろくろ首じゃない」

「じゃあ、邦彦《くにひこ》くん。ためしに呼びかけてみてよ。『何かご用ですか』って、きっと首だけがのびてくるから」

ぼくはふり向いて、女の人がのぼっていく後ろ姿《すがた》を、おそるおそるながめる。

そんなぼくを、マミちゃんがじっとにらむ。

「ろくろ首じゃないと思うなら、呼《よ》びかけたって平気でしょ」

どうして、そういうことになるの？　ろくろ首なんかいないって最初《さいしょ》にいったのはマミちゃんなのに。

「邦彦《くにひこ》くん。早く、呼んでみてよ」

「ぼ、ぼくが？」

「そうだよ。いないって思う人が呼ぶべきだよ」

ピシャリといわれて、もうあとには引けなくなってしまった。

女の人の後ろ姿《すがた》を見ながら、ぼくは緊張《きんちょう》ぎみに呼んだ。

「お、おーい」

するとそのときだ。

ザサッ、ザサッ、ザササッ。


「キャーッ」

マミちゃんが、急に走りだした。

「うわっ、何？」

ぼくもつられて、坂道を転げるようにかけおりる。

杉林《すぎばやし》をぬけ、坂の入口まで行ったあたりで、円《まどか》先生がぼくたちに追いついた。

「邦彦《くにひこ》くん、マミさん、そんなにびっくりしなくても。今のは杉《すぎ》の枝《えだ》が落下した音ですよ。ほら、あそこ。枯《か》れた枝が落ちただけです」

後ろから、いつものおだやかな調子《ちょうし》でいわれた。
そんな円《まどか》先生を、ふり返ったときだ。
先生のすぐ後ろに、真っ赤なくちびるの顔が見えた、気がした。
なんでだ？　女の人は、ずっと向こうまで行ったはずなのに。
まさか、首だけが⁉
とっさに、目をぎゅっとつむる。
でも、鈴《すず》の音は、すぐ近くから聞こえた。

チリリン、チリリン、チリリン。

第4話　矢《や》食《く》らい山《やま》

今日の妖怪調査《ようかいちょうさ》は、午前中で終わるというから安心、安心。

前回の城見坂《しろみざか》は、午後三時にはじめたから、すっかり暗くなってしまった。そういう夕方の時間も、昼と夜との「境界《きょうかい》」だそうだ。

円先生にそう教えられたとき、ふるえてしまった。だってそれなら、夕方の城見坂は、時間と空間のダブル境界ということで、妖怪の出やすさマックスだったことになる。

やっぱり、あの女の人はろくろ首だったのだ。あのあと寝《ね》こみはしなかったけど、もう二度と夕方の城見坂へは行かないと決めた。

今日は朝から晴れていて、山々もくっきりと見える。

ぼくたちが集合したのは、川原《かわら》近くの公園。妖怪調査もさわやかにできそうだ。

今回も、マミちゃんがついてきた。城見坂《しろみざか》では「もう妖怪調査《ようかいちょうさ》なんて来ないっ」って怒《おこ》っていたんだけどな。マミちゃんは、妖怪なんて信《しん》じないといいったくせに、興味《きょうみ》はあるみたい。

「円《まどか》先生、今日は、どんな妖怪を調べるんですか？」

「今回調査するのは、あれです」

そういって、円先生が指さしたのは、矢食《やく》らい山《やま》だった。

きれいな円錐形《えんすいけい》の富士山《ふじさん》みたいな山。でも高さは、六〇〇メートルくらいだから、ミニミニ富士山だ。

「ぼく、あの山の上まで登ったことあるよ」

「あたしも！　山頂《さんちょう》から森里町《もりさとまち》がよく見渡《みわた》せて、気持ちよかった」

「子どものころ、わたしも祖父《そふ》といっしょに登りました。祖父は毎年、元日の朝に登り、山頂から初日《はつひ》の出《で》をながめるのが好《す》きだったのです」

「先生のおじいさん？」

マミちゃんは井上《いのうえ》のおじいさんを知らないだろうから、教えてあげた。

「円《まどか》先生のおじいさんというのは、ぼくの家の近くに住んでいたおじいさんのこと。ぼくはよく、そのおじいさんから、ふしぎな話を聞いたんだよ。でも、もう死んじゃっていないんだ。今、円先生が住んでいるのは、そのおじいさんの家なんだよ」

「そうなんだ。円《まどか》先生のおじいさんも、民俗学《みんぞくがく》の先生だったんですか？」

「いいえ。祖父《そふ》は先生ではありませんでした。ただ、この町の歴史《れきし》や言い伝《つた》えを調べるのが趣味《しゅみ》だったんです。それで、こんな本も書いたのです」

そういって、よれよれのデイパックからとりだしたのは、いつもの『森里町《もりさとまち》の昔話』だった。

「それ、井上《いのうえ》のおじいさんが書いた本だったの？」

「そうですよ。祖父は、森里町に伝わる昔話を、いろんな人たちから聞きとり、それを集めてこの本をつくりました」
おじいさんのしわだらけの顔がよみがえる。あの古い家の縁側《えんがわ》に腰《こし》かけて、庭をながめながら聞いたふしぎな話。河童《かっぱ》とか、天狗《てんぐ》とか……。ちょっとこわいけど、ついつい聞きたくなって、何度も遊びに行った。ぼくは、そんなおじいさんのことが好《す》きだったな。
なんて思いだしていると、いつの間にか円《まどか》先生は『森里町《もりさとまち》の昔話』を読みはじめていた。

〈矢食《やく》らい山《やま》の話〉

昔、この地にやってきた武将《ぶしょう》が、愛宕山《あたごやま》の上から、西の方に見え

る山を見つけ、弓の的《まと》にちょうどいいといって、矢を放った。
その後、家来《けらい》たちは、放った矢を探《さが》すよう命じられた。
しかし、いくら探しても矢は見つからなかったので、山が食って
しまったのだろうといわれた。

「へぇ、矢を食った山なのか。だから、矢食《やく》らい山《やま》というんだね」

ぼくは、名前の由来に納得《なっとく》した。でもマミちゃんは、不満《ふまん》そうな
顔つきだ。

「山が妖怪《ようかい》って、ヘンな気がする」

すると、円《まどか》先生がにっこりほほ笑《え》んだ。

「山であっても、ふしぎで妖《あや》しいと思われるなら妖怪《ようかい》です。たとえば、こんな山の妖怪もいますよ。昔、ある山が日本一の高さをめざして、夜の間にむくむくと山頂《さんちょう》を盛《も》りあげていました。ある晩《ばん》、そのようすを、ふもとに住む少女が見てしまいました。少女は、山の上がむくむくと盛りあがる光景《こうけい》におどろき『キャーッ、気味が悪い!』とさけびました。それを聞いた山は、ぴたりと盛りあがるのをやめ、日本一にはなれなかったということです」

マミちゃんが、クスッと笑《わら》う。

「その山は、女の子に、気味が悪ーいっていわれて、はずかしくなったんだね」

「山なのに、いわれたことを気にするんだ。人間みたい」

ぼくも、ヘヘッと笑《わら》っていると、円《まどか》先生が真剣《しんけん》な表情《ひょうじょう》で「そこです！」と、力をこめた。

「日本人は昔から、あらゆるものに魂《たましい》が宿《やど》り、人間と同じように感情《かんじょう》を持つと考えてきました。山や川、風や雷《かみなり》といった自然《しぜん》のものにも。まさにそういう考えが、多くの妖怪《ようかい》を生みだしたのです。たとえば、山の斜面《しゃめん》に向かってさけぶと、その声が反響《はんきょう》して何度か聞こえてきますね。そこから生まれたのが妖怪のヤマビコです。また、谷川などでは、段差《だんさ》があったり、水が岩に当たったりするところで、シャラシャラという音が聞こえます。それが小豆《あずき》を洗《あら》う音に似《に》ていることから、小豆洗《あずきあら》いという妖怪《ようかい》が生まれました」

円《まどか》先生は、うれしそうに語り続《つづ》ける。こういう感じの人に、どこかで会ったことがあるような……。

そうか、井上《いのうえ》のおじいさんだ！　おじいさんも昔話をするとき、こんな表情《ひょうじょう》だったな。

「また日本人は、身のまわりの道具にも魂《たましい》が宿《やど》り、やがて物《もの》の怪《け》に変《か》わると考えていました。古い道具に目が現《あらわ》れたり、手足が生《は》えたような妖怪を知りませんか？」

「知ってるよ。提灯《ちょうちん》お化《ば》けとか、から傘《かさ》お化けでしょ」

「そうです。ほかに、布《ぬの》から生まれた妖怪もいますよ」

「それ、一反《いったん》もめんでしょ。目玉のついた細長い布《ぬの》が、ひらひら飛《と》んでいるやつ」

「一反もめんは夜になると現《あらわ》れ、人の首に巻《ま》きついて窒息《ちっそく》させるそうです」

「うわっ。へなへなした感じなのに、凶暴《きょうぼう》なんだ」

「そうですね。妖怪《ようかい》は見かけによらないものです。では、ザルから生まれた妖怪は知ってますか？」

「えーと、ザルといえば、いじゃろころがし！」

「正解《せいかい》です。古いお堂《どう》からとつぜんザルが転がってきて、人間の姿《すがた》になるといわれています」

「ザルが人間になったら、びっくりするよね」

「そうやって、人間をおどかす妖怪《ようかい》なのです」

「おどかすだけなら、そんなに悪いやつでもないね。あとは、火をふく車の妖怪の片車輪《かたしゃりん》とか、障子《しょうじ》に目がついている目目連《もくもくれん》なんかも道具から生まれた妖怪なの？」

「そうですね。邦彦《くにひこ》くん、よく知っていますね」

「えへ。『妖怪図鑑《ようかいずかん》』のおかげだよ」

ぼくたちは顔を見合わせる。円《まどか》先生とは、妖怪のことで通じ合う気がする。そんなぼくたちに向かって、マミちゃんが冷《つめ》たくいった。

「妖怪調査《ちょうさ》、まだはじめないんですか？」

「ああ、そうでしたね。そろそろはじめましょう」

今日の円《まどか》先生は、よれよれのデイパックのほかに、黒いケースを持ってきている。そのケースをあけると、中にはプロペラのついた小型《こがた》の機械《きかい》が入っていた。

「わぁ、ドローンだ！」

「ドローンで、何をするの？」

「これを使って、武将《ぶしょう》が矢を放ったという愛宕山《あたごやま》と、矢食《やく》らい山《やま》の位置関係《いちかんけい》を確認《かくにん》してみようと思います。そういう地形のようすも、妖怪《ようかい》の言い伝《つた》えに関《かか》わることがあるからです。撮影《さつえい》した動画は、このモニターで見ることができます」

円《まどか》先生がリモコンを操作《そうさ》すると、ウィーンとプロペラがまわりだし、ドローンが浮《う》かびあがった。

「カッコいい！」

ぼくは、上昇《じょうしょう》するドローンに目を見はった。こんなに近くで見るのは、はじめてだ。ところが、ぼくたちの頭の上で、ドローンはふらふらとゆれだした。

「えーと……じつは、まだ、このリモコン操作に慣《な》れていなくて……」

いつもは冷静《れいせい》な先生が、あせりだす。ドローンは矢食《やく》らい山《やま》の方へ向かってはいるが、あっちへこっちへと迷走《めいそう》ぎみだ。

マミちゃんは、先生が持つリモコンを見て、これをこうしたら？　ああしたら？　なんて口出ししてるけど、ドローンの使い方をわかっているとは思えない。

ぼくは、モニター画面を見るのをやめた。映像《えいぞう》がゆらゆらして、よってしまいそうだ。

かわりに、飛《と》んでいくドローンを見つめる。ひょろひょろとたよりない飛び方で、つい応援《おうえん》したくなった。

「がんばれよ。矢食《やく》らい山《やま》まで、しっかり飛んでいけよ。落っこちるなよ」

なんていいながら、さっき円《まどか》先生がいったことを思いだした。

ぼく今、機械《きかい》のドローンを人間みたいに思って、応援《おうえん》してる。こういうのが、妖怪《ようかい》を生みだしてきた考え方なのかも。

ドローンは、だいぶ山の近くまで行ったけど、飛《と》び方はちっとも安定してない。円《まどか》先生とマミちゃんであーだこーだやっている。

そのときだ。

とつぜん、矢食《やく》らい山《やま》の山頂《さんちょう》が、む

くむくっと盛《も》りあがった。

山全体は緑色の木におおわれているのに、そこだけ茶色の岩はだが見える。

「え、なんで？」

さらに、その茶色い岩はだに、大きな口みたいな穴《あな》がぱっくりとひらいた。まるで洞窟《どうくつ》みたいだ。

ああっ！　その大きな口が、飛《と》んできたドローンを飲みこんだ！

昆虫《こんちゅう》を食べる動物のように、パクっと。

「うわっ、食べちゃった！」

びっくりして、ぼくは後ろにひっくり返った。

同時に、円《まどか》先生とマミちゃんも声をあげた。

「あ、動画が消えました」

「やだ。どこへ行ったの？」

マミちゃんは空を見あげて、ドローンを探《さが》す。

「先生、どこにも見えないです。墜落《ついらく》したみたい」

円先生は、ケースからとりだした説明書《せつめいしょ》を読み返している。

「こういうときは、ドローンの発信機《はっしんき》を作動《さどう》させて、墜落した場所を特定《とくてい》する……」

ぼくはひとりで起きあがり、おしりについた砂《すな》をはらった。

「落ちたんじゃないよ。矢食《やく》らい山《やま》に大きな口があいて、ドローンを食べたんだ」

でもマミちゃんに、そっけなく返された。

「そんなわけないでしょ」

先生はあいかわらずリモコン操作《そうさ》に苦戦《くせん》している。

「まずいです。発信機《はっしんき》が作動《さどう》しません。これでは、どこに墜落《ついらく》したかわかりません……」

「だから円《まどか》先生、墜落じゃなくて妖怪矢食《ようかいやく》らい山《やま》に食べられたんだよ。ぼく、見たんだ。だから、矢食らい山じゃなくて、ドローン食らい山なんだよ」

「もう、邦彦《くにひこ》くんたら。じょうだんいってる場合じゃないのに。少しはまじめになってよ」

「ぼく、大まじめなんだけどなあ」

円《まどか》先生は、あいかわらず青い顔をしている。

「とにかく、ドローンを回収《かいしゅう》しなければなりません。邦彦《くにひこ》くん、マミさん、申しわけないですが、今日の調査《ちょうさ》は中止です。今から、ドローンを探《さが》しに行ってきます」

そういって円先生は、よれよれのデイパックと黒いケースを背負《せお》い、矢食《やく》らい山《やま》の方へ向かっていった。

第5話　目《もく》目《もく》連《れん》

あたしは工藤《くどう》マミ。

邦彦《くにひこ》くんのうちの近所に住んでいる円《まどか》先生の家に、遊びに来たの。邦彦くんには、ないしょだよ。

矢食《やく》らい山《やま》という妖怪《ようかい》を調査《ちょうさ》したとき、あたしって、なんかオマケみたいだなって思ってさ。

だって、円先生と邦彦くんは妖怪の話で楽しそうだったのに。あたしだけその話についていけなくて、くやしかった。

妖怪なんているわけないと思っていたけど、あたしも、もっと妖怪のことを勉強しようと思って、『妖怪入門』という本を買ってもらった。妖怪たちのイラストがキュートな感じだし、説明《せつめい》もわかりやすくて気に入ってるの。

この本さえあれば、あたしも円《まどか》先生と楽しい妖怪《ようかい》トークができるはず！

先生の家は、だいぶ昔に建《た》てられたような古い家だった。

玄関《げんかん》からあがると、たたみの部屋に通された。ろうかとの間には障子戸《しょうじど》がある。

障子戸、ひさしぶりに見たな。あたしのおばあちゃんの家にあったんだ。小さいころ、障子の紙をやぶいて怒《おこ》られたっけ。

だってね、障子って、紙がピンッとはられているところは、たたくと、小太鼓《こだいこ》みたいな音がするんだよ。タンタンって。

だからおもしろくて遊んでいたら、つい力が入って、バリッとやぶれちゃったんだよね。あのときのおばあちゃんの目は、キツネみたいにつりあがっていたなあ。

おばあちゃんはその後、あたしがやぶいたところを、はり直していた。ごめんね、おばあちゃん。

先生の家の障子《しょうじ》も、下の方にやぶれたところがあって、ろうかが見えている。先生は、はり直さないのかな。

たたみの部屋で、こげ茶色のテーブルをはさみ、先生とあたしは向かい合った。

『妖怪入門《ようかいにゅうもん》』の本を見せると、先生は楽しそうにパラパラとめくった。

「わかりやすい本ですね。イラストがおしゃれなのもいいですね」

「あたし、この本を読んでわかったんです。妖怪《ようかい》って、こわいやつだけじゃなくて、カワイイのもいるんだって。先生、赤殿中《あかでんちゅう》って、知ってますか？」

「赤い羽織《はおり》を着た、小さい子どもの姿《すがた》で、おんぶをせがむ妖怪ですよね」

「はい」

さすが円《まどか》先生。名前を聞いただけで、すぐわかるんだ。

本には、小さい男の子がおんぶされてキャッキャしているイラストがのっていた。おんぶしてあげると喜《よろこ》ぶなんて、カワイイ。

「あとね、豆腐小僧《とうふこぞう》。おぼんにお豆腐をのせて、立っている姿《すがた》がカワイイの。そのお豆腐の上に、もみじの葉っぱが一枚《まい》だけのっていて、それもカワイイんです！」

「マミさんは、カワイイ妖怪《ようかい》が好《す》きなんですね」

「はい。赤殿中《あかでんちゅう》とか豆腐小僧に会ってみたいです」

「おや？　マミさんは、妖怪なんて信《しん》じないといってませんでしたか？」

「カワイイ妖怪なら、信じます」

「そうですか」

円《まどか》先生はフフッと笑《わら》った。

「先生、森里町《もりさとまち》には、カワイイ妖怪《ようかい》っていないんですか？」

「そうですね……」

先生が『森里町の昔話』をとりだした。この町にも赤殿中《あかでんちゅう》みたいなカワイイ妖怪がいるかもって思うと、わくわくしてくる。

「あ、いました」

「どんな妖怪ですか？」

「化《ば》けダヌキです。このタヌキは、いたずらばかりして村人をこまらせていました。村人はタヌキをつかまえ、殺《ころ》そうとしたのですが、あるおじいさんが助けてあげました。そこでタヌキは、お礼に金の茶釜《ちゃがま》に化《ば》けて、おじいさんを金持ちにしてあげたのです。ちゃんと恩返《おんがえ》しをするなんて、かわいいところがありますね」

先生は目を細めて、にこにこしている。

あたしは「あ、はい」と、それなりにうなずいた。

「それから、こんな妖怪《ようかい》もいますよ。柿入道《かきにゅうどう》です。柿の実をとらずにいると、赤い顔の人間に化けて現《あらわ》れます。そして、柿の実を食べろと、おしつけてくる妖怪です。わざわざ柿の実をとって、人間に食べさせようとするなんて、かわいいですね」

先生は、ますますうれしそうに「ほかにも、かわいい妖怪がいるかもしれません」と、別《べつ》の本も探《さが》しはじめた。

化《ば》けダヌキとか柿入道《かきにゅうどう》って、そんなにカワイイかな？

円《まど》先生《か》のカワイイは、どこかズレてるような気がする。

「ああ、いました、いました」

今度は『森里町《もりさとまち》の昔話』よりも古そうな本をひらいて、見せてくれた。

「ほら、これ。猫《ねこ》またです」

頭に赤い布《ぬの》をかぶった猫が、後ろの二本足で立っている絵だ。長いしっぽは、根元から二つに分かれている。

『妖怪入門《ようかいにゅうもん》』にも出てきた化《ば》け猫《ねこ》の一種《いっしゅ》。猫が長く生きると、しっぽが二つに分かれて、妖怪になるらしい。

「前足をちょこんと曲げて、おどっているようなところがユーモラスでかわいいですね」

円《まどか》先生がグーにした両手を曲げて、猫《ねこ》またと同じポーズをつくり目を丸くして猫みたいな顔をする。

むじゃきな子どもみたい。そういう先生の方がカワイイかも。

だけど、化《ば》け猫《ねこ》ってびみょう。猫の絵は、まあまあカワイイと思うけど、『妖怪入門《ようかいにゅうもん》』には、化け猫は人をおそうと書いてある。ひと晩《ばん》に七人の人間を食い殺《ころ》したらしい。そういう凶悪《きょうあく》な妖怪には会いたくないな。

こわい妖怪や気持ち悪い妖怪は、いない方がいい。

ろくろ首なんかもパス。邦彦《くにひこ》くんが、城見坂《しろみざか》のろくろ首はいたといっていた。髪飾《かみかざ》りの鈴《すず》の音を聞いたんだって。和服の女の人は坂の上まで行ったはずなのに、すぐ近くでチリリンと聞こえたから首だけがのびてきたにちがいないって。

あのとき、あたしは夢中《むちゅう》で坂をかけおりた。一度もふり向かなかったから、首がのびているのを見てないし、鈴の音も聞こえなかった。

うん。だから、ろくろ首はいなかったこととする。

なんて思っていると、先生が、また別《べつ》の絵を見せてくれた。

「これは、どうでしょう？　わたしが好《す》きな妖怪《ようかい》の一つです」

それは、障子《しょうじ》に目がいっぱいついている絵だ。障子の小さな四角ごとに目が二つずつある。

「これ、カワイイですか？」

「はい。目目連《もくもくれん》というんです。名前の音のひびきがかわいいと思いませんか？」

「モクモクレン？」

うーん、どうだろう。名前がカワイイとしても、障子《しょうじ》にこんなにいっぱいの目があったら、気持ち悪いだけだよ。

やっぱりちがう。円《まどか》先生のカワイイは、なんかちがう。こんなんじゃや、先生と楽しい妖怪《ようかい》トークなんて、できないかも。

「目目連は、古い家の障子に現《あらわ》れるのです。うちにも現れてくれたら楽しいのですが」

円先生《まどか》が、期待の目を障子《しょうじ》に向ける。

あたしは、まゆをぎゅっとよせながら見る。

すると、障子の一番下の四角に、二つの目があった。

「キャアッ」

ざぶとんの上で飛《と》びあがる。

「出た！　目目連《もくもくれん》！」

でも円先生は、すずしげな笑《え》顔《がお》だ。

「わたしも、一瞬目目連《いっしゅんもくもくれん》が出たと期待したんですが、残念《ざんねん》ながら、正体は、ほら」

障子《しょうじ》のわきで、茶色いしっぽがゆれている。

「なんだ、猫《ねこ》か」

ろうかにいる猫が、障子のやぶれたところから、こっちをのぞいていたのだ。

あたしは胸《むね》に手を当てて、ふうっと息をはく。

でも、待って。まさか、しっぽの数は？

ゆれるしっぽをかぞえる。

「いち……」

一本だけだった。よかった。もう一度、息をはく。

「ここは、しばらく空《あ》き家《や》だったせいか、ノラ猫《ねこ》がすみついていたんです。追いだすのも気《き》の毒《どく》なので、えさをあげています。ノラくん、こちらはかわいい妖怪《ようかい》が好《す》きな工藤《くどう》マミさんですよ」

「ウニャア」

ノラくんは、ねむそうにひと声鳴いて、行ってしまった。

二つの目はなくなり、やぶれた障子《しょうじ》から外の庭が見えた。

「それにしても、マミさんの妖怪に対する切り口は、おもしろいと思います。こんなふうに、かわいい妖怪の話をするのも楽しいですね。そうだ。かわいい妖怪なら、祖父《そふ》が集めた本の中にもいるかもしれません」
円《まどか》先生は、いそいそと奥《おく》の方へ行ってしまった。
あたしは、たたみの部屋に、ひとりぽつんと残《のこ》された。
ふうん。今までのトーク、円先生には楽しかったのか。
そう思いながら、なにげなく障子《しょうじ》に目を向けた。
「ギャアッ」
障子が、目だらけ！
目、目、目、目、目、目、目、目……。
全部の四角の中に、二つずつの目がある。
まばたきする目。

ひとみをぐるぐるまわしている目。

怒《おこ》ったときのおばあちゃんみたいに、つりあがった目。

あたしを、じいっと見ている目。

こ、こんなにいっぱいの目、気持ち悪ーい！

「せ、先生、目目連《もくもくれん》が！」

あたしは立ちあがって、さけんだ。

「それは、ノラくんの目ですよ」

奥《おく》からは、のんびりとした円《まどか》先生の声。

やだ、やだ、やだ。こんなところに、いられるはずがない。

「あ、あたし、帰ります。さようなら」

玄関《げんかん》へ走る。つんのめりながらくつをはき、先生の家から一目散《いちもくさん》ににげだした。

第6話

河童《かっぱ》

今日の調査地《ちょうさち》は、水守神社《みずもりじんじゃ》だ。

田んぼや畑にかこまれた、小さな森みたいなところにある。

円《まどか》先生とマミちゃんとぼくは、赤い鳥居《とりい》の下に集合した。石だたみの奥《おく》には、古いお社《やしろ》が見える。ほかにはだれもいないようで、境《けい》内《だい》はひっそりとしている。

この神社には、河童《かっぱ》がまつられているんだって。河童か……。井《い》の上《うえ》のおじいさんは、河童に足をつかまれたといってたな。

円先生と調査をすると、毎回ふしぎなことが起こる。こわいこともあったけど、今日は何が起こるのかなって、わくわくするぼくもいるんだよね。

だから、妖怪調査《ようかいちょうさ》につい行きたくなるんだ。

マミちゃんも、妖怪は信《しん》じないなんていってたけど、今日も参加《さんか》してるということは、きっと何かを期待しているんだと思う。

「邦彦《くにひこ》くんとマミさんは、河童《かっぱ》というと、どんなイメージを持っていますか？」

「えーと、全身緑色で、頭に皿があって、顔にはくちばしがあるって感じかな」

ぼくが答えると、マミちゃんもはりきっていった。

「河童は、キュウリが好《す》きで、相撲《すもう》をとるのも好きで、人間のシリコダマを、とったりするんでしょ」

へぇ、マミちゃん、よく知ってるなあ。本か何かで調べたのかな。

「そうですね。一般的《いっぱんてき》な河童《かっぱ》のイメージはその通りです。ただ、全国には、いろんな姿《すがた》の河童がいます。頭に皿がなかったり、全身毛むくじゃらだったり。体の色も、緑とはかぎりません。赤や黒いものもいるんです」

「赤い河童もいるんですか？」

「はい。岩手県遠野市《いわてけんとおのし》に伝《つた》わる河童は、美しい赤色だといわれています」

ぼくは頭の中で、緑色だった河童を赤色に変《か》えてみた。

うーん。なんかヘンだ。緑色の方が河童らしいと思うな。

「河童《かっぱ》の話というのは、たいてい川や池の近くで伝《つた》わっています。この神社にも池がありますね。行ってみましょうか」

ぼくたち三人は、鳥居《とりい》をくぐり、石だたみを進んだ。

池の水面がキラキラしている。それほど大きくはない、自然《しぜん》な感じの池だ。円《まどか》先生は、ぐるりと一周《しゅう》してもどってきた。

「ここはわき水の池ですね。ほら、あそこから水がわき出ています」

マミちゃんもぼくも、池のふちに立って水面をながめる。先生が指さすところからは、ポコポコと水がわいているのが見えた。

「この池に、河童がすんでいるの？」

ぼくが聞くと、先生はまじめな顔つきで答えた。

「この池にいるかどうかはわかりませんが、一般的《いっぱんてき》に河童《かっぱ》は、水中にひそんでいます。江戸時代《えどじだい》には、妖怪《ようかい》というよりも、なぞの水中生物と思われていました。今でも、川で泳ぐ河童の目撃例《もくげきれい》があるようですね。祖父《そふ》も、子どものころ、河童に足をつかまれたといってました。河童の手はぬるっとしていて、冷《つめ》たかったそうです」

マミちゃんが、気色悪そうに首をすくめる。

「なんか、やだ。河童って、かわいくない」

円《まどか》先生は、いつものおだやかな笑顔《えがお》で続《つづ》ける。

「河童には、いろいろなものがいるようです。人や馬を殺《ころ》してしまうものもいますが、人のために働《はたら》いてくれる親切なものもいます。

人間の女の子にほれてしまった河童《かっぱ》の話もあります。そうそう、利《と》根川《ねがわ》には、ネネコというメスの河童がいて、彼女《かのじょ》は、関東地方《かんとうちほう》にすむ河童たちのボスだったそうですよ」

マミちゃんが、今度は、目をキラリとさせた。

「ボスって、一番えらいんでしょ。河童たちのボスだなんて、カッコいいかも！」

「ネネコという河童は気性《きしょう》があらく、きげんが悪いと川の堤防《ていぼう》を破《は》壊《かい》したり、人を川に引きずりこんだり、大暴《おおあば》れをしたそうです」

「うわぁ、ネネコって、怒《おこ》らせるとこわいんだね。堤防を破壊するなんて、強すぎでしょ」

ぼくは、ちらりとマミちゃんを見た。マミちゃんは気が強いから怒《おこ》ったら、こわいだろうな。将来《しょうらい》、ボスになったりするのかな、なんて想像《そうぞう》しちゃった。

そんなマミちゃんが、期待の目を円《まどか》先生に向けた。

「円先生、この神社の河童《かっぱ》は、どんな河童なんですか？　こわい河童？　親切な河童？　それともカッコいい河童？」

この町の河童がどんなやつなのか、ぼくも気になる。

円先生は『森里町《もりさとまち》の昔話』をとりだしながら、答えた。

「この神社の河童は……どんな河童といえば、いいでしょうね。まずは、伝《つた》わっている話を読んでみましょうか」

〈水守神社《みずもりじんじゃ》の池〉

昔、雨が降《ふ》らなくても、水の枯《か》れたことのない池があった。

ある若者《わかもの》が、その池にもぐって遊んでいると、いつの間にか、水のないところに出てしまった。

池の中なのにおかしいと思いながらも、しばらく歩いていくと、一軒《けん》の家にたどり着いた。若者は、家から出てきた娘《むすめ》に、ここはどこか？　とたずねた。すると娘は、こういった。

「ここは、人の来るところではありません。命がおしければ、早く帰りなさい」

若者《わかもの》はおそろしくなり、あわててその家からにげだした。どこをどのようにして池の外までもどったか、その後の記憶《きおく》はぼんやりしていたという。

若者が出会った娘《むすめ》は、池の主《ぬし》の河童《かっぱ》だろうといわれ、そこにお社《やしろ》が建《た》てられた。


「けっきょく、どんな河童だったの？」

「こわいのか、親切なのか、よくわからないね」

ぼくとマミちゃんは、首をかしげた。

「これ以上《いじょう》のことは書いてないので、どんな河童かはわかりませんね。それより、この話のポイントは、池だと思います」

「池？」

マミちゃんとぼくは、同時にいった。

「この昔話のはじめに、水の枯《か》れたことのない池とありますね。おそらく、この池のことです。昔は、今のような水道はなく、井戸水《いどみず》や川の水を使って生活していました。そういう時代に、水の枯れたことのない池は、とてもありがたいものだったと思います。そこで当時の人々は、この池は超人的《ちょうじんてき》な何者かが守っていると考えた。若《わか》者《もの》が出会った娘《むすめ》こそ、超人的な池の主《ぬし》、河童《かっぱ》にちがいないと想像《そうぞう》したのかもしれません。『ここは人の来るところではありません』というセリフは、いかにも池の主《ぬし》のようです」

マミちゃんがうなずく。

「その娘《むすめ》はきっと、ボスだったんだね」

「でもさ、なんで、人が来てはだめなの？」

ぼくの問いかけに、マミちゃんが答えた。

「この池が、河童《かっぱ》のなわばりだからじゃないの？」

「そういう見方もできますね。あとは、わき水の池だから、かもしれません」

「わき水の池だから？」

ぼくはもう一度、池を見た。水のわき出ているところが、キラキラしている。

「あ、そうか。わき水のきれいな池だから、よごしちゃいけないんだ。若者《わかもの》は、この池にもぐって遊んでいたんだよね。そんなことしてたら、水がよごれるから、それで、人が来るところではないっておどしたのかな」

円《まどか》先生がにこにこしている。

「わたしも、邦彦《くにひこ》くんと同じことを考えました」

正解《せいかい》です、といわれたようでうれしい。

そりゃあ、いつもいっしょに調査《ちょうさ》していたら、円先生が考えることも、だんだんわかってくるよね。

マミちゃんも、うなずいている。

「だから、水守神社《みずもりじんじゃ》という名前なのね」

円《まどか》先生が、マミちゃんにも笑顔《えがお》を向ける。

「そうなんです。河童《かっぱ》は、じつは水の神さまでもあります」

ぼくは池のふちにしゃがみこみ、水の中をのぞいた。

河童って、妖怪《ようかい》だと思っていたら、水中生物かもしれなくて、それでいて水の神さまでもあるんだ。

本当に、この池の中に、そんな河童がいるのかな。

「あ、今の黒い影《かげ》、なんだろう？」

首をぐっとのばし、水の中をのぞきこむ。

そのとき、つい前のめりになりすぎて……。
「うわっ」
ドポンッ！
頭から、池の中へ落ちてしまった！！
ゴボゴボゴボゴボゴボ……。
無数《むすう》の泡《あわ》がのぼっていく。
く、苦しい。い、息が、できない……。
と思ったけど、あれ？　できてる？
ぜんぜん苦しくない。
そのとき、おしりが、かたいものに当たった。

池の底《そこ》かな？

いや、ちがう。ここは川原《かわら》だ。

いつの間にか、川原の砂《すな》の上にいた。

すぐわきを川が流れていて、まわりには草やぶや林が見える。どこの川原だろう？

草やぶの手前に、女の子の後ろ姿《すがた》が見える。

背丈《せたけ》はぼくぐらいで、髪《かみ》が長い。

一瞬《いっしゅん》マミちゃんかと思い、声をかけた。

「ねえ、ここはどこ？」

すると、その子がふり向いた。

「ギャアッ」

ぼくはのけぞった。マミちゃんじゃないし、人でもない。全身緑色で目だけが赤い。顔の下半分はくちばしみたいになっていて、手と足には水かきもある。

その子に、ギッとにらまれたとたん、ぼくの体はかたまってしまった。かなしばりにあったみたいに、身動きができない。

女の子がピューッと口笛をふいた。

すると、まわりの草やぶがざわざわしはじめ、その間から、赤い目で全身緑色のやつらが現《あらわ》れた。大きさはいろいろだけど、みんな女の子と同じような姿《すがた》だ。あっちからもこっちからも虫がわくよう

に出てきて、たちまち川原《かわら》いっぱいになった。

ぼくはボスみたいな女の子と、その子分みたいなやつらに、あっという間にかこまれてしまった。

こ、こわいよ。でも、体が動かない……。

「わぁーーーーっ」

声をふりしぼってさけんだ。

すると、体のこわばりがふっと解《と》けた。すぐさま、後ろの川へ飛《と》びこむ。にげる場所は、そこしかない。

早く、早くあいつらから、にげなきゃ。

ぐぶぐぶ、ごぼごぼ。

ぐぶぐぶ、ごぼごぼ。

川にしずんだり浮《う》いたりしながら、ぼくは必死《ひっし》で泳いだ。

「邦彦《くにひこ》くん、邦彦くん！」

「邦彦くん、だいじょうぶですか？」

マミちゃんと円《まどか》先生の声だ。

目をあけると、目の前にふたりの顔があった。横になっていたぼくを、ふたりがのぞきこんでいた。起きあがって、あたりをながめると、そこは水守神社《みずもりじんじゃ》の池のほとりだった。

「ああ、よかった。あいつらから、にげられて」

ホッと息をつく。でも体はびしょぬれだ。

「邦彦《くにひこ》くんが頭から池に落ちたから、びっくりしちゃった。でも、なんともなくてよかった」

マミちゃんも、胸《むね》に手を当ててホッとしている。どうやら円《まどか》先生が、池に落ちたぼくを引きあげてくれたらしい。先生も全身ぬれていて、髪《かみ》の毛からしずくがポタポタたれている。

「あいつらとは、なんですか？」

円先生にたずねられ、ぼくはさっきのできごとを話した。

「目が赤くて全身緑色のやつらだよ。この池の中は、どこか知らない川原《かわら》につながっているんだ。そこにいたんだよ。最初《さいしょ》は女の子ひとりだったけど、きっとその子はボスで、子分をいっぱい呼《よ》びよせたんだ。あいつら河童《かっぱ》だよ。手と足に水かきもあった。ぼく、河童たちにとりかこまれたんだ。何をされるかわからなくて、こわくなって川に飛《と》びこんで、必死《ひっし》で泳いで――」

そこで、あきれた顔のマミちゃんに口をはさまれた。

「邦彦《くにひこ》くん、夢《ゆめ》を見ただけじゃない？」

「夢じゃないよ。本当にぼくは見たんだ。あれは河童だったよ」

「でも、時間が合わないよ。邦彦くんが池に落ちてから円《まどか》先生が助けるまでは、三分もなかったと思うけど」

「三分？　それだけ？　おかしいな。もっと長い時間に思えたけど。そういえば、水の中なのに、息苦しくなかったのもおかしいなあ。……夢《ゆめ》、だったのかな」

「そうよ。夢よ」

「でも、すごくリアルで、夢とは思えないいんだけど……」

ぼくは首をひねって腕《うで》を組む。

「邦彦《くにひこ》くんの話は、とても興味《きょうみ》深いですね。案外《あんがい》、この池の河童《かっぱ》に出会ったのかもしれませんよ。先日、ドローンが行方不明《ゆくえふめい》になってから、だいぶ探《さが》していますが、まだ見つからないのです。邦彦くんがいうように、山に食べられたのではないかと思いはじめているところです」

地面に『森里町《もりさとまち》の昔話』が落ちていた。井上《いのうえ》のおじいさんが書いたという古い本。妖怪《ようかい》の話がいっぱい、つまっている本だ。

さっきぼくを助けるために、円《まどか》先生は手に持っていた本を、あわてて投げだしたんだろう。それを先生は、だいじそうに拾いあげて砂《すな》をはらった。

「祖父《そふ》から昔話を聞かされて、いつの間にか妖怪が好《す》きになりました。妖怪を調べていくと、昔の姿《すがた》が見えてきます。昔の人たちは、何をおそれ、何を大切にしていたか。そして、いつかわたしも、妖怪に出会えそうな気がしています」

「あたしも、カワイイ妖怪なら会ってみたい」

さっきまで、ぼくの話を夢《ゆめ》だといっていたマミちゃんが、今はにこにこしている。なんだかんだいって、マミちゃんも妖怪《ようかい》を好《す》きになっているのかも。

古い石が置《お》いてあるところとか、山や川や池にも妖怪はいる。橋や坂道も、妖怪に出会えるポイントだ。ちがう世界の境界《きょうかい》だからね。

妖怪調査《ちょうさ》は、わくわくする。

おかげで、この町にいろんな妖怪がいるってことがわかったよ。

それから、妖怪が生まれるには理由があるということも。

「ねえ、円《まどか》先生。つぎは、どこへ調査に行くの？」

ぼくがたずねると、マミちゃんも期待の目で円先生を見た。

すると円《まどか》先生が、いつものおだやかな笑顔《えがお》で『森里《もりさと》町《まち》の昔話』をめくりはじめた。

「そうですね。つぎは、どの妖怪《ようかい》を調べましょうか」

妖怪《ようかい》は、

うす暗い坂道や、神社の池、

古めかしい家の中、町の境《さかい》にかけられた橋、

昔からずっと、道ばたに置《お》いてある石などに。

きっとあなたの町にも、うようよいますよ。

作／野《の》泉《いずみ》 マヤ

茨城県生まれ、宮城県在住。東京学芸大学卒業。日本児童文芸家協会会員。『きもだめし☆攻略作戦』（岩崎書店）で第26回福島正実記念SF童話賞大賞。作品は『へんしん！　へなちょこヒーロー』（文研出版）、『満員御霊！　ゆうれい塾』シリーズ（ポプラ社）、絵本『もりのがくだん』（ひかりのくに）、佐々木ひとみ、堀米薫との共著で『みちのく妖怪ツアー』（新日本出版社）シリーズなど。

絵／TA《タ》KA《カ》

大阪府在住イラストレーター。児童・中高生向け読み物の装画・挿絵や教材のイラストを数多く手がけている。絵を担当する作品に『七不思議神社』シリーズ（あかね書房）『ゼツメッシュ！』シリーズ（講談社青い鳥文庫）、『ツクルとひみつの改造ボット』（岩崎書店）などがある。

https://www.taka-illust.com/

休み時間で完結　パステル ショートストーリー

Light Brown《ライトブラウン》

ぼくの町の妖怪

作者／野泉 マヤ
画家／TAKA

2024年2月10日　初版1刷発行

発　行　　株式会社 国土社
〒101-0062　東京都千代田区神田駿河台2-5
TEL 03-6272-6125　FAX 03-6272-6126
https://www.kokudosha.co.jp
印刷・製本　モリモト印刷 株式会社

NDC913　152p　19cm　ISBN978-4-337-04138-7　C8393
Printed in Japan